D1495958

Pour Arthur,
le petit trésor de sa Majo.

J. H.

© Éditions Nathan (Paris-France), 2013.
Conforme à la loi n°49956 du 16 juillet 1949 sur les publications destinées à la jeunesse.
ISBN : 978-2-09-254079-4

N° d'éditeur : 10185298 – Dépôt légal : février 2013
Imprimé en France.L63292.

Jo Hoestlandt • Charles Dutertre

Le Voyage EXTRAORDINAIRE DE Petit Pierre

Nathan

C'était l'hiver,
et le petit Pierre
tenait bien fort la main
de sa grand-mère.

À côté d'eux, un grand crocodile
avançait lentement sur la rivière.

Il avait déjà avalé tout plein de gens :
des gros, des maigres, des petits,
des grands.
Et même un petit chien blanc et noir...
ou noir et blanc...

Tout autour du grand crocodile, sur la rivière, nageaient des poissons extraordinaires. L'un d'eux, énorme, s'appelait *Déménagement*. Il avait englouti tous les meubles d'un appartement. Un poisson tout blanc nommé *Ambulance* avait gobé un malade, un docteur et ses médicaments, et un long poisson rouge, avec une arête sur le dos, doubla tout le monde en faisant pimpon bruyamment.

C'était l'hiver,
et le petit Pierre
tenait bien fort la main
de sa grand-mère.

Sur la rivière,
il y avait un bruit d'enfer !
Et VROUMM, et TUUUTT et POUËT POUËT !
Et RROARR et RRRAAA
et même PROUTT PROUTT parfois,
vraiment, ces poissons ne se gênaient pas !

Un soleil rouge apparut soudain.
Les poissons s'arrêtèrent
sur la rivière. Alors le petit Pierre
passa comme sur un pont
devant crocodile et poissons.

De l'autre côté, sur la banquise,
marchaient tout plein de pingouins !
Un cartable dans une main,
un téléphone dans l'autre,
ils allaient très vite
et parlaient beaucoup.
Ils avaient des rendez-vous !

C'était l'hiver,
et le petit Pierre tenait bien fort
la main de sa grand-mère.
Tout à coup, une grosse bouche
s'ouvrit devant eux.

La gueule noire sans dents d'un monstre
dont le ventre grognait sous la terre.
Les gens dégringolaient dedans
et disparaissaient instantanément.
Le petit Pierre et sa grand-mère
l'évitèrent.

Puis ce fut la forêt, le silence, soudain.
Devant eux sur le sol poudreux, le petit Pierre
et sa grand-mère ne voyaient plus
que les bois d'un cerf, la queue d'un lapin,
et la trace des bottes du Petit Poucet
et de ses frères cherchant le chemin
de leur chaumière.

Ils arrivèrent devant une grande grille.
Derrière, plein de petits singes turbulents
grimpaient, couraient, sautaient,
s'attrapaient en hurlant.

Le petit Pierre tenait toujours bien fort
la main de sa grand-mère.
– Non Grand-Mère, chuchota-t-il,
pas tout de suite, pas maintenant...
Mais elle le poussa gentiment dedans.
– Va vite, Petit Pierre, lui dit-elle,
ils t'attendent pour jouer, ils ne sont pas
méchants.

Et un gros singe barbu ferma la grille
immédiatement.

Le petit Pierre ne tenait plus
la main de sa grand-mère
qui repartit dans l'hiver
à petits pas, doucement.
Pour ne pas avoir froid à la main
qui ne tenait plus rien,
elle la mit dans la poche de son manteau.

Elle retraversa la forêt, la banquise,
la rivière où passaient sans fin,
poissons, petits et gros, et aussi,
le grand crocodile qui avait avalé plein de gens :
des jeunes, des vieux, des petits, des grands.

Et même un petit chien blanc et noir...
ou noir et blanc...